(5e_6e)

L'Orpheline de la maison Chevalier

Données de catalogage avant publication (Canada)

Ouimet, Josée, 1954-

L'Orpheline de la maison Chevalier
(Collection Atout ; 32. Histoire)
ISBN 2-89428-362-8

1. Canada – Histoire – Jusqu'à 1763 (Nouvelle-France) –
Romans, nouvelles, etc. pour la jeunesse. I. Titre. II. Collection :
Atout ; 32. III. Collection : Atout. Histoire.

PS8579.U444O76 1999   jC843'.54   C99-940202-1
PS9579.U444O76 1999
PZ23.0940r1999

Les Éditions Hurtubise HMH bénéficient du soutien des institutions
suivantes :

- Conseil des Arts du Canada.
- Programme d'aide au développement de l'industrie de l'édition.
- Société de développement des entreprises culturelles au
  Québec.

Directrice de la collection : **Catherine Germain**
Conception graphique : **Nicole Morisset**
Illustration de la couverture : **Luc Melanson**
Mise en page : **Lucie Coulombe**

© Copyright 1999
Éditions Hurtubise HMH ltée
1815, avenue De Lorimier
Montréal (Québec)
H2K 3W6 Canada
Téléphone : (514) 523-1523

Dépôt légal/3e trimestre 1999
Bibliothèque nationale du Canada
Bibliothèque nationale du Québec

Imprimé au Canada

Josée Ouimet

L'Orpheline de la maison Chevalier

Collection **ATOUT**

dirigée par Catherine Germain

Josée Ouimet aime imaginer des romans à partir de faits historiques authentiques. Cette ancienne professeure de littérature et d'histoire au collège Saint-Maurice, Québec, réinvente pour nous le passé et fait revivre les émotions, les rêves et les espoirs de ceux qui ont vécu avant nous. **L'Orpheline de la maison Chevalier** est son sixième roman publié.

À lire aussi, de Josée Ouimet, dans la même collection :

Le Moussaillon de la Grande Hermine (Atout n° 22), les aventures d'un jeune Français embarqué comme mousse, en 1535, pour le second voyage de Jacques Cartier, à la découverte du Canada.

Une photo dans la valise (Atout n° 7), l'histoire d'une femme qui revit son passé, mais oublie le présent.

*À Marie, fille de Jean, mon ancêtre,
qui a porté sur ses frêles épaules,
comme beaucoup d'autres enfants,
le lourd fardeau de la servitude...*

1

LE SACRIFICE

Le jet d'eau sale atterrit à leurs pieds, mouillant le bas de la robe de Marie et maculant les chaussures de cuir de son compagnon avant de s'écouler dans le caniveau, au centre de la rue.

—Non mais!... Tu ne pourrais pas faire attention! s'insurge l'homme qui lève le poing en direction d'une servante, qui s'empresse de refermer la fenêtre.

Marie, elle, ne réagit pas. Elle garde les yeux fixés sur le pavé souillé d'immondices, alors que de grosses larmes gonflent ses paupières déjà alourdies par une nuit sans sommeil.

—Ce n'est plus très loin d'ici! Allez! Avance! dit l'homme à la jeune fille qui le suit docilement.

Autour d'eux, dans la rue du Cul-de-Sac, un va-et-vient incessant marque le début du labeur quotidien de ce matin de septembre 1753.

Sur la berge de l'Anse-aux-Barques, les gabares débordantes de marchandises s'apprêtent à quitter le rivage. Tout près, vers l'ouest, longeant le fleuve Saint-Laurent, le chantier maritime résonne déjà des coups de marteaux des ouvriers.

D'un geste vif, Marie essuie une larme qui s'accroche au bout de son nez rougi par le froid.

L'automne, avec ses nuits fraîches et ses matins brumeux, a remplacé les chaudes journées d'été.

— C'est ici ! s'exclame l'oncle de Marie en s'arrêtant devant une grande maison en pierres.

Marie pose un regard inquiet sur cette bâtisse qui sera désormais sa nouvelle demeure.

— Elle est belle ! Hein ? claironne l'oncle Amédée en frottant ses mains l'une contre l'autre. Je suis certain que tu aimeras ça, ici ! C'est la demeure de Jean-Baptiste Chevalier ! L'un des marchands les plus importants de Québec !

Il jette un regard vers sa nièce qui fixe toujours la maison qui se dresse devant eux.

— Allons! Allons! Ne fais pas cette tête-là! On croirait que tu marches vers la potence! Je te le dis : tu es chanceuse! Il n'y a pas meilleur travail pour une fille de ton âge!

Devant le mutisme têtu de Marie, Amédée se fâche un peu.

— Tu vas devoir montrer un peu plus d'enthousiasme, Marie! Je sais que la mort de ton père nous a tous mis dans une situation difficile! Mais ce n'est que pour un temps! Tu dois me croire! Cette dette envers monsieur Chevalier, il n'y a que toi qui puisses la rembourser. Il faut comprendre...

Marie tourne lentement la tête et plonge un regard triste dans les yeux couleur noisette de son oncle.

— Je comprends, oncle Amédée... murmure-t-elle. Je comprends... Mais j'ai si mal en dedans...

La jeune fille éclate en sanglots et se précipite sur la poitrine de celui qui l'a conduite jusqu'ici.

— Allons ! Allons ! Du courage ! dit Amédée la gorge serrée par la peine qui le submerge. Pense à ta mère ! À tes dix petits frères et sœurs ! C'est pour eux que tu dois te sacrifier ! Sans toi, ils seraient assurément dépossédés de leur foyer et de leurs biens et on les enverrait dans d'autres familles ! Tu es leur seul secours...

Marie se redresse et essuie ses joues ruisselantes de larmes. Elle serre bien fort le baluchon dans lequel elle a entassé quelques effets et, sans plus un regard pour son oncle, elle fait volte-face et marche à pas résignés vers la maison en pierres.

— Je viendrai te chercher dans trois mois. Tu passeras la Noël chez toi, lui chuchote oncle Amédée après l'avoir rejointe.

D'un geste paternel, il emprisonne le coude de sa nièce dans sa main devenue moite malgré la fraîcheur du temps.

— Je te le promets...

En silence, le couple gravit l'escalier de bois de la maison du marchand tandis que dans l'anse, derrière eux, la dernière barque quitte la rive.

2

L'ennemi

— Voilà donc Marie! s'exclame une jolie dame, richement vêtue, en s'approchant de l'orpheline.

— Dame Chevalier, salue Amédée en baisant la main qui se tend vers lui.

Marie, abasourdie par tout le luxe qu'elle aperçoit, ne peut s'empêcher d'être éblouie. Que de richesses! Cette maison est si grande, comparée à la masure qu'elle a quittée! Rien de comparable avec la maisonnette en bois d'à peine six mètres sur cinq qui abrite sa famille entière et dont la cuisine sert aussi de chambre à coucher!

Le regard de Marie s'accroche un moment à la fenêtre aux carreaux garnis de vitres translucides d'où elle entrevoit un peu de ciel. Elle est étonnée de constater qu'il existe autre chose que du papier jauni ou des morceaux de cuir parcheminé pour empêcher le vent et le froid d'entrer dans la maison.

À l'annonce de la nouvelle de son travail chez le marchand, la jeune fille avait été envahie par le chagrin. Aujourd'hui cependant, devant tant de faste et de richesses, un sentiment d'injustice se mêle à sa déconvenue.

« Est-ce possible ? » songe-t-elle, en laissant errer son regard sur un fauteuil canné comme elle n'en a jamais vu.

— Comme je suis contente, enfin, de pouvoir compter sur une aide supplémentaire ! continue la maîtresse de maison. Jeanne est débordée ! Comme vous le savez sans doute, nous recevons souvent les gens de la haute société et, Jean-Baptiste étant à La Rochelle pour encore au moins deux mois, je crains, faute de serviteurs, de faillir à la tâche.

Elle fixe un regard interrogateur sur la jeune fille qui n'a pas encore osé affronter sa nouvelle maîtresse.

— Je la trouve un peu malingre... dit-elle à l'adresse d'Amédée. Elle n'est pas malade au moins ?

— Non! Non! Soyez sûre que, malgré sa petitesse, Marie est très forte! Et bonne travaillante avec ça!

— Elle me paraît bien jeune!

— Elle a douze ans, presque treize. C'est l'aînée de la famille...

Amédée jette un regard vers sa nièce qui renifle doucement.

— La mort subite de mon frère Jean, enchaîne-t-il, a jeté la consternation dans notre famille. Les dettes qu'il a contractées envers votre mari nous ont mis dans un sérieux embarras. Aussi, j'aimerais que...

— Capitaine Denault! l'interrompt dame Chevalier, en se dirigeant vers un homme vêtu de l'uniforme des miliciens, qui vient de faire irruption dans la pièce. Comme je suis contente de vous voir!

Amédée, confus et gêné de s'être fait évincer de la sorte, baisse les yeux et contemple l'extrémité de ses chaussures.

Marie, de son côté, continue de passer en revue la pièce avant d'arrêter son regard dans un coin où un mouvement furtif lui confirme la présence d'une souris.

— Est-ce monsieur Bigot qui vous envoie ? demande la maîtresse de maison au nouveau venu qui prend place dans un fauteuil de brocart beige.

— Oui, madame. C'est au sujet de l'ordonnance.

— Toujours ce fichu règlement ?

— Hélas, madame ! continue le capitaine. Il faut s'assurer que les citoyens le respectent et surtout l'appliquent !

— Oui mais, après les hautes cheminées, les caves voûtées, les toits de tôle et les murs coupe-feu, que faut-il encore vérifier ? s'exaspère dame Chevalier.

— Les murs coupe-feu, encore et toujours ! Surtout leur réfection !

— Ces travaux ne peuvent-ils donc attendre ? interroge encore dame Chevalier qui a haussé le ton.

— Madame, rétorque le capitaine sur un ton incisif, l'ordonnance de monsieur Gaspard Chaussegros de Léry, ingénieur du roi en Nouvelle-France, est formelle ! Il faut que les murs mitoyens soient prêts pour contrer les feux !

— Je sais bien que toutes ces mesures prises afin de protéger la ville sont essentielles, mais ne sont-elles pas un peu exagérées ?

— Pas du tout, madame ! Depuis 1727, grâce à l'intendant Dupuy, le feu n'est plus l'ennemi numéro un de la ville de Québec. Le devoir de notre gouverneur et du nouvel intendant est de continuer cette œuvre !

— Le feu ainsi écarté, réplique dame Chevalier sur un ton badin, qui deviendra donc l'ennemi numéro un de Québec ?

— Les Anglais, madame !

À l'évocation même de ce peuple qui les harcèle depuis que le traité d'Aix-la-Chapelle a rendu à la France la ville de Louisbourg, tous se taisent, laissant s'installer dans cette demeure un lourd silence dont les épais murs de pierres replâtrés étouffent tous doutes et angoisses.

— Je vous remercie, capitaine ! dit la maîtresse de maison après s'être ressaisie. Je ferai connaître les ordres de l'intendant à mon mari dès qu'il sera de retour.

— La réfection des murs du grenier ne saurait attendre, madame ! Ce doit être fait avant que l'hiver et ses froidures n'assiègent la ville !

Dame Chevalier pousse un profond soupir de lassitude avant de tourner son regard vers les deux témoins qui attendent debout au centre de la pièce.

— Nous ferons comme il se doit et dans les plus brefs délais ! concède-t-elle enfin, en se tournant vers Marie qui n'a rien perdu de la discussion.

Près de la jeune fille, Amédée attend patiemment la fin de l'entretien en froissant entre ses mains rugueuses son tricorne aux bords élimés.

— Monsieur Houymel, je vous remercie d'avoir escorté votre nièce. Considérant qu'elle fait partie de mes servantes, Marie sera logée, nourrie et vêtue. Elle ne recevra aucun gage, mais son travail effacera la dette de feu votre frère inscrite dans nos livres de comptes.

Elle se tourne ensuite vers le capitaine Denault qui, après s'être levé, se tient au garde-à-vous.

— Veuillez m'excuser, capitaine, mais le travail m'attend !

Avec une courbette digne de la cour de France, le visiteur prend congé de la maîtresse de maison, imité par Amédée qui, après avoir jeté un dernier coup d'œil à Marie, quitte la pièce.

— Viens ! ordonne dame Chevalier à la jeune fille dont les yeux se remplissent à nouveau de larmes. Je vais te montrer ta chambre. Jeanne te montrera ensuite ta besogne.

Marie gravit à la suite de sa patronne un étroit escalier, avant de disparaître derrière une petite porte de pin noueux.

3

L'INCONNU

Par l'unique lucarne, Marie voit défiler les bateaux sur le fleuve. Elle tourne la tête vers l'ouest pour apercevoir, se découpant sur les nuages roses qui bordent l'horizon, le chantier maritime où se dressent les silhouettes sombres et silencieuses des navires en construction.

À la fin de cette première journée de labeur, la jeune fille n'a plus la force de pleurer. Elle est fatiguée. Rompue.

Après le départ de son oncle, on a donné à Marie un petit logis dans le grenier : une pièce d'à peine quatre mètres carrés, où se dresse un lit de fortune. Une paillasse de plumes d'oie, difforme et peu épaisse, est recouverte de deux draps de cotonnade usés et d'une couverture de laine. Par terre, un tapis tissé égaie un peu l'endroit de ses rouges et de ses bleus. À droite du lit, une chaise de bois mal équarri se tient aussi droite qu'une sentinelle boiteuse.

Dame Chevalier a permis à sa jeune servante de piquer des images saintes sur les murs de la mansarde. Mais Marie n'en possède aucune. Cependant, son chapelet de billes de bois que son père lui a donné en cadeau a trouvé refuge au-dessus de son lit. Après avoir troqué son unique robe contre son costume de servante, elle la dépose, bien pliée sur le dossier de la chaise.

Du plat de la main, Marie lisse le tablier en toile qu'elle porte par-dessus la chemise unie dont elle a roulé les manches jusqu'à la hauteur du coude. Un corsage de laine ainsi qu'une jupe plissée complètent son habillement.

« Il faut que mes servantes aient belle allure ! » avait dit dame Chevalier, en posant sur les cheveux de la jeune fille une coiffe beige.

À regret, Marie avait échangé ses sabots de bois et ses bas de laine grise contre des bas de laine beaucoup plus fins et des souliers de cuir noir qui lui serraient les orteils.

— Il faut aussi porter ce mouchoir autour de ton cou ! avait ajouté sa patronne. Lorsque l'hiver sera à nos portes, je te donnerai une cape de laine.

Marie n'avait rien dit. Pas un mot. Pas un merci. Espérant de tout son cœur qu'une fois la dette remboursée, l'hiver la ramènerait vêtue de ses hardes, auprès des siens...

La jeune fille jette un regard vers la gauche où un mur la sépare des provisions sèches que le maître de la maison empile là chaque année. Elle se souvient du fier regard de Jeanne quand celle-ci lui avait énuméré ce que monsieur Chevalier exportait : « Il y a du grain, des farines, du bois de toutes essences dont les artisans ont su faire de belles planches, des madriers, des bardeaux et merrains qui serviront à confectionner les douves des tonneaux. Sans compter les tuiles, les briques et le ginseng. »

Marie avait roulé des yeux ronds à l'énumération de tant de richesses. « Mais, avait continué Jeanne, ce qui fait surtout de Jean-Baptiste Chevalier l'un des commerçants les plus importants de la ville, ce sont les fourrures de castor ! »

Jeanne avait jeté un coup d'œil par la porte de la cuisine avant de continuer. « On dit aussi qu'il exporte en France du chanvre, de l'huile de baleine et des boissons alcoolisées que le curé Jacrau a vainement tenté de détruire, à grands renforts de prêche et de malédictions. En retour, il rapporte de La Rochelle des soieries, des épices et certains produits que la France fabrique à partir des ressources de ce pays : chapeaux de fourrure, beaux meubles. »

Jeanne lui avait même affirmé que le maître faisait commerce avec des îles françaises comme la Martinique et qu'il en importait quelquefois de la mélasse, du rhum et du cacao.

Une rancœur submerge Marie, alors qu'elle pense à la richesse de cet homme à qui sa famille doit cent livres.

Cent livres...

Une véritable fortune pour de pauvres habitants comme eux, mais une pacotille pour un marchand comme Jean-Baptiste Chevalier !

D'un geste rageur, la jeune fille tire sur les cordons du tablier qui glisse sur sa robe avant de tomber à ses pieds. Elle fixe un moment le tissu immaculé sur lequel elle croit voir des visages : figures de son père défunt, de sa mère souffrante, de ses frères et sœurs...

Amère, Marie relève vivement la tête, arrache d'un geste rageur la coiffe qui emprisonne toujours ses cheveux, passe une main nerveuse dans sa chevelure et ferme les yeux à nouveau.

Pendant cette première journée, Marie s'est initiée aux différents travaux de la maison. À la cuisine, d'abord, magnifiquement équipée, elle a appris à utiliser la crémaillère à échelons, sans oublier le gaufrier, la galetière et le grille-pain qui sert à consommer le pain rassis. Puis, Marie a manié la pince, le chaudron à long manche et a fait fonctionner la fontaine avec l'eau qui se jette dans la cuvette sous-jacente. Tant de choses nouvelles à apprendre !

À l'heure du dîner, la petite servante s'est échinée sur les chaudrons trop lourds pleins de soupe et a ensuite passé l'après-midi à balayer, laver et brosser les parquets.

Le soir venu, Jeanne lui a enseigné comment allumer les chaleuils : ces lampes au suif, en forme de becs de corbeaux. Elle lui a aussi montré les endroits où la jeune servante doit déposer les candélabres afin que la lumière soit bien répartie dans la maison.

Après avoir terminé de ranger la vaisselle propre, Marie, épuisée, s'est accroupie près de l'âtre et a doucement remué les braises encore rougeoyantes. Elle a alors senti le souffle du feu sur son front et a songé un instant qu'aux portes de l'enfer, ce devait être ainsi.

L'enfer... Son enfer...

Au souvenir du feu, une bouffée de chaleur l'inonde et la jeune fille, d'un geste spontané, ouvre la fenêtre. Un souffle frais, venant du large, s'engouffre alors dans les combles, balayant les soucis et ravivant les ardeurs. Un vent qui nettoie. Qui laisse présager que demain sera meilleur.

Marie se hisse sur la pointe des pieds et, fermant les yeux, offre son visage à la brise. Le vent fait alors valser quelques mèches de ses longs cheveux bruns quand un sifflement discret, venant de la berge, lui fait rouvrir les yeux.

Juste en bas, sur la grève, sautant d'une barque qui vient de s'échouer, un garçon la regarde.

L'espace d'un instant, Marie croit le reconnaître et ses lèvres esquissent un sourire qui se mêle à sa moue chagrinée. L'inconnu lui sourit en retour et, dans un geste galant, enlève son couvre-chef avant de plonger dans une profonde révérence.

Gênée et confuse, Marie quitte la lucarne en vitesse, préférant se fondre dans l'obscurité qui a maintenant complètement envahi la chambre.

Après avoir replacé le tricorne sur sa tête, le jeune inconnu quitte la grève, un sourire moqueur accroché à ses lèvres.

4

LA MALADRESSE

— Allons, Marie ! Dépêche-toi un peu !

— J'arrive, madame !

Débouchant de la cuisine, les bras chargés de la belle vaisselle d'étain, la jeune fille s'arrête près d'une petite table au centre de la chambre à coucher.

— Tu n'as pas mis la nappe de lin brodée, comme je te l'ai expliqué ?

— Pardon, madame ! rétorque Marie, confuse. Je... j'ai oublié !

— Ma pauvre fille ! s'exclame alors dame Chevalier en levant les yeux au ciel. Voilà déjà plus d'une semaine que tu es ici et tu n'as pas encore le réflexe de mettre la nappe avant la vaisselle !

— C'est que, voyez-vous, commence Marie rouge de honte, chez moi, nous ne mettons la nappe qu'à de grandes occasions et...

— Bien sûr! l'interrompt sa maîtresse en se dirigeant vers le lit.

D'un geste vif, elle écarte les courtines d'étoffe rouge.

— Tu sais pourtant que, ce matin même, je reçois l'intendant Bigot dans cette chambre! continue dame Chevalier. Tout doit être en ordre et fin prêt pour le recevoir!

Elle se retourne pour surveiller le travail de la jeune fille.

— Il y a un pli... là, lui indique-t-elle en tendant un index vers la nappe sur laquelle Marie a déjà déposé deux gobelets.

Marie se penche et lisse du plat de la main la ligne disgracieuse. En se relevant, ses yeux rencontrent le regard de Jeanne posé sur elle. Celle-ci lui adresse un gentil sourire, avant de disparaître au rez-de-chaussée.

— Il faudrait voir à ce que les seaux de chambre des enfants soient vidés, continue la maîtresse de maison. Ah, oui! J'ai su que tu donnais à manger à une petite bestiole que je déteste au plus haut point! J'ai même ouï dire que tu avais fait sortir Gaspard, le chat, pour préserver la vie de cette souris! Dorénavant, j'ordonne que Gaspard soit gardé en permanence dans cette maison, tant et aussi longtemps qu'il n'aura pas mis la patte sur ce vilain animal! Me suis-je bien fait comprendre?

— Oui, madame... dit Marie en baissant la tête.

La jeune servante, après avoir terminé de dresser la table, quitte la pièce et se dirige vers les chambres des enfants, situées à l'étage.

Comme la plupart des maisons des gens riches, la maison Chevalier possède un deuxième étage où les enfants du commerçant ont droit à de grandes chambres. Rien de comparable avec le « luxe » de la maison des Houymel! Il y a ici des lits si hauts et des matelas de plumes si épais qu'il faut aider les plus petits à y monter.

Dans le corridor qui relie les chambres entre elles, deux escabeaux et des coffres bas garnis de coussins sont alignés le long du mur.

En se dépêchant, Marie n'a pas vu dans le passage la petite chaise à roulettes avec laquelle se déplace le cadet de la famille Chevalier. Son pied l'accroche.

Le meuble rebondit contre une cloison dans un fracas épouvantable. Sans attendre, la jeune fille empoigne la cause de tout ce boucan et le replace le long du mur. Elle lève les yeux vers la fenêtre pour apercevoir, sur un fond de ciel bleu, un passage d'oies sauvages qui volent vers le sud.

Marie baisse la tête. L'automne tire déjà à sa fin... Comme sa famille lui manque! Comme elle se sent seule! Qu'arrive-t-il, là-bas? Sans elle, sa pauvre mère vient-elle à bout de la besogne? Que deviennent Charles, Bernard et Louis? Julie, Clara et Flora? Et le bébé Nicolas? A-t-il enfin réussi à s'asseoir tout seul? Et Nanette qui aura onze ans le mois prochain? Va-t-elle bientôt, elle aussi, devoir travailler chez un marchand, pour payer d'autres dettes?

Au souvenir de la benjamine, un gros sanglot l'étouffe. Elle s'assoit sur l'un des coffres et laisse couler sa peine.

— Quand vous reverrai-je tous? murmure-t-elle.

Depuis que Marie est au service des Chevalier, le temps semble s'être arrêté! Travaillant du lever au coucher du soleil, la jeune fille a l'impression de vivre dans un gouffre où seuls les gargouillements de son ventre affamé, les douleurs de ses muscles raidis et les sanglots qui roulent dans sa gorge nouée lui assurent qu'elle est encore vivante.

Un bruit de pas, tout près d'elle, la fait se redresser.

« Il ne faut pas que quelqu'un me voie dans cet état ! » songe-t-elle. « Il ne faut pas ! Si je faillis à la tâche, je serai renvoyée et tout sera à recommencer ! »

Elle sent alors la chaleur d'une menotte sur son épaule.

— Tu pleures, Marie ? demande une petite voix derrière elle.

Empoignant un coin de son tablier, la jeune fille essuie en vitesse les larmes qui roulent encore sur ses joues avant de se retourner.

— Non, Samuel ! Là, tu vois, je ne pleure pas !

— Mais tu pleurais...

— Je me suis blessée un peu sur la marchette. C'est tout !

Le second fils des Chevalier, du haut de ses six ans et demi, toise la jeune servante.

— Tu veux jouer avec moi ?

— J'aimerais bien, mais je n'ai pas le temps ! répond Marie en se relevant. Je dois vider les pots avant d'aller préparer le repas.

Samuel pousse un profond soupir avant de tourner les talons.

— Peut-être une autre fois... dit Marie, avant que l'enfant, tête basse, ne disparaisse derrière la porte de sa chambre.

Sans plus attendre, la jeune servante s'avance vers un petit recoin de la pièce et s'empare des pots remplis d'urine presque à ras bord. Elle ouvre la fenêtre et, dans un élan, le premier pot s'envole. Il lui a glissé des mains et plane un moment avant d'atterrir sur le dos d'un passant qui, penché, replace la boucle de son soulier.

Ce dernier, après avoir laissé échapper un juron, se relève vivement afin d'invectiver le malin qui lui a fait pareille insulte. En levant la tête, il aperçoit Marie qui n'a pas reculé assez vite.

— Petite polissonne ! Tu mérites la bastonnade ! crie-t-il en brandissant sa canne dans les airs.

Alertés par les cris, des curieux se sont rassemblés devant la maison des Chevalier.

Marie, pétrifiée de peur, demeure dans l'encadrement de la fenêtre. Son regard va du petit homme ventru, qui fait danser sa canne au-dessus de sa tête, aux visages rieurs ou fâchés des témoins de sa maladresse. Parmi eux, elle reconnaît un grand gaillard au sourire moqueur : c'est le garçon de l'autre soir, celui qui a osé la saluer !

Il lève vers elle un visage dont le teint foncé est éclairé par une chevelure d'un blond doré. De la main, il lui fait comprendre qu'elle est dans de beaux draps.

La jeune fille sourit, gênée.

— Alors Marie ! tonne une voix derrière elle. Tu trouves cela amusant !

La jeune servante, surprise, fait volte-face et se retrouve devant dame Chevalier, rouge de colère.

— Je m'excuse, madame, mais... mais je... Le pot a glissé et...

— Je ne veux pas entendre tes excuses ! C'est plutôt à ce pauvre monsieur Boulay que tu vas les faire !

Marie, hébétée, se tait. Elle se retourne, jette un coup d'œil par la fenêtre et aperçoit le marchand qui se dirige d'un pas assuré vers l'entrée de la maison.

— Viens avec moi ! ordonne dame Chevalier sur un ton sans réplique.

Marie s'apprête à suivre sa patronne quand, poussée par la curiosité, elle jette un dernier regard sur la foule des badauds qui se dispersent lentement. Le jeune homme aux cheveux blonds n'est plus là.

Le cœur lourd, Marie baisse la tête et se dirige à contrecœur vers la chambre des maîtres où monsieur Boulay vient de faire irruption.

5

SUR LA PLACE DU MARCHÉ

C'est aujourd'hui mardi, jour de marché sur la place Royale. Marie déambule parmi les étalages et les boutiques qui regorgent de produits de toutes sortes.

La jeune fille est bien heureuse de sortir enfin de la maison. Cependant, des sentiments de crainte et de liberté se disputent son cœur. Elle tourne la tête dans tous les sens, tentant de dompter sa peur, cherchant dans les visages inconnus un regard, un sourire... Dans ses mains moites, le panier est lourd de légumes.

Venant au-devant d'elle, un commerçant qu'elle reconnaîtrait entre mille l'apostrophe soudain :

— Si ce n'est pas la petite servante de dame Chevalier ! clame monsieur Boulay. J'espère que ta maîtresse t'a bien punie de ta maladresse !

Marie, effrayée de se faire une nouvelle fois réprimander en public, lorgne du côté des curieux qui s'approchent, en priant le ciel de la soustraire au courroux de cet homme.

Elle aperçoit alors, derrière les étals qui s'entassent au centre de la place, une potence dressée.

À la vue de l'échafaud où, paraît-il, un homme sera aujourd'hui même pendu, Marie sent un frisson parcourir son dos. Les battements accélérés de son cœur cognent à ses tempes. Elle baisse la tête afin de cacher sa gêne aux regards inquisiteurs que lui lancent les gens rassemblés.

— Achetez ! Achetez mes beaux légumes ! crie un marchand tout près. Achetez !

— J'ai du poisson ! crie un autre. Du bon poisson frais pêché à l'aube ! Du bon poisson !

— Des galettes ! Qui veut de mes galettes !

Monsieur Boulay s'est désintéressé de la jeune fille, il discourt avec un marchand de tissus. Marie le voit tâter de riches soieries toutes plus chatoyantes les unes que les autres.

Un soupir de soulagement s'échappe alors de ses lèvres et elle s'empresse de continuer son chemin.

La foule est si dense en ce milieu de matinée sur la place Royale que Marie a de la difficulté à atteindre l'échoppe du cordonnier, où elle doit porter une paire de souliers de cuir dont la semelle est trouée.

— Oh !

Le panier qu'elle tient à la main accroche au passage le bras d'un Indien à demi nu. Celui-ci réussit, tant bien que mal, à retenir sur son avant-bras le paquet de fourrures qu'il vient vendre. C'est un vrai géant aux cheveux d'ébène qui lui lance un regard noir avant de se faufiler entre les rangs serrés des marchands et des badauds.

Abasourdie et fatiguée, Marie marche résolument vers un coin de la place, non loin de l'échafaud où elle espère pouvoir retrouver son souffle et surtout son calme.

— Aimez-vous donc à ce point la potence que vous vous y précipitiez ? nargue une voix inconnue derrière elle.

Marie, que le ton narquois choque au plus haut point, se retourne vivement, prête à couvrir d'injures l'insolent. Cependant, les insultes meurent sur ses lèvres alors que, devant elle, le garçon à la chevelure d'or lui adresse un sourire moqueur.

— Avez-vous donc perdu votre langue? continue-t-il sur le même ton.

Marie baisse un instant les yeux afin de se soustraire à son regard.

— Je n'ai pas perdu ma langue! répond-elle sur un ton sec.

— À la bonne heure!

Il fait une petite courbette avant de continuer.

— Antoine LeGuillou! Pour vous servir! Mademoiselle?...

Marie, gênée, jette un regard aux alentours.

— Vous n'avez pas de nom? interroge encore le jeune homme.

— Marie...

— Marie! C'est tout?

— Marie Houymel.

— Enfin! Enchanté, mademoiselle Houymel!

Le son strident d'une trompette fait soudain sursauter la foule tandis que, debout sur le perron de l'église, un crieur entonne d'une voix forte :

— Oyez ! Oyez ! Bonnes gens de Québec ! En ce jour du vingt-cinq octobre de l'année de grâce 1753, Dieudonné Guimond, fils de Jacques, reconnu coupable de vol et de trahison, sera pendu, haut et court. Par ordre du gouverneur...

Les paroles de l'homme se confondent alors à la rumeur qui agite les badauds rassemblés.

— Si ce n'est pas malheureux ! s'exclame une femme non loin de Marie. S'acoquiner avec les Anglais !

— Il n'en faut pas plus, mamie, de rétorquer son compagnon, pour se mettre à dos toute la colonie !

— La paix, qui quand même a duré près de trente ans, me semble désormais chose du passé ! renchérit un des compères qui, bras croisés, lève la tête vers le condamné. Depuis la reprise de Louisbourg, les Anglais en veulent à nouveau à nos terres et à nos biens ! S'ils réussissent à reprendre l'Acadie, les portes de Québec leur seront toutes grandes ouvertes ! Je vous le dis ! La guerre n'est jamais bien loin : l'Anglais veille !

Marie, le cœur chaviré et les oreilles bourdonnantes, lève la tête vers le perron de l'église. Malgré le froid, le condamné, à genoux, n'est vêtu que d'une chemise de lin et d'un pantalon d'étoffe sombre. Une corde autour du cou, il tient à deux mains une torche de cire ardente d'au moins deux livres.

— Mon fils, lui dit un prêtre, implorez le pardon de Dieu, de votre roi, de la justice, mais surtout de tous ces gens, ici rassemblés, que vous avez offensés.

Faisant fi de l'ordre du prêtre, Dieu-donné Guimond, abandonnant le cierge sur le perron de pierres, se relève et marche d'un pas assuré vers le lieu où se dresse la potence. Dans son regard posé sur la foule, aucun regret. Aucun remords... Arrivé au bas de l'échafaud, il fait un signe de la tête au bourreau qui, sans attendre, lui lie les poignets à l'aide d'une corde grossière. Puis, fidèles à la tradition, bourreau et condamné gravissent à reculons l'échelle de bois.

Marie ne peut s'empêcher de comparer le coupable à bien des gens de sa condition qui, pour une bouchée de pain, sont capables de tout : mendier, voler et se vendre au plus offrant. Même à un Anglais...

— Ne restons pas ici! murmure Antoine qui pose une main impérieuse sur l'avant-bras de Marie.

Celle-ci ne réagit pas sur-le-champ. Elle garde les yeux fixés sur le condamné, cherchant à déceler dans son regard baissé et dans la moue boudeuse de ses lèvres, le repentir que tous espèrent. Hélas! Aucun tressaillement réprimé, aucun sanglot étouffé ne montre au peuple rassemblé que le fautif implore un pardon.

Un prêtre s'avance alors au pied de l'échelle et présente au traître une croix de bois sur laquelle un Christ nu est attaché.

— Il faut demander pardon, mon fils! Il le faut!

Le condamné, après avoir lancé un jet de salive sur le crucifix, redresse fièrement la tête, un rictus déformant sa lèvre supérieure.

Alors, le bourreau resserre le nœud coulant autour du cou de Dieudonné Guimond, qui n'a pas bougé.

— Venez! réitère Antoine dont cette fois la poigne se fait plus pressante.

Ce n'est pas un spectacle pour une jeune fille!

Marie quitte à regret les abords de la potence et suit son nouveau compagnon. Dans son cœur, l'étonnement rejoint la crainte. Jamais elle n'aurait cru qu'à l'approche de la mort, un homme puisse à ce point haïr encore. Ne puisse demander pardon, même à Dieu! Ne serait-ce que pour sauver son âme...

Le bruit de la chute du corps et la clameur de la foule la font se retourner d'un seul coup.

Se balançant au bout de la corde tendue, Dieudonné Guimond, fils de Jacques, fixe de ses yeux exorbités le clocher de l'église de Notre-Dame-des-Victoires, qui surplombe le cœur de la basse-ville.

6

VICTIME OU HORS-LA-LOI ?

— Vous aimez votre travail chez le marchand Chevalier ? questionne Antoine en croquant à belles dents dans une pomme bien rouge.

— Pas du tout ! réplique Marie, qui joue nerveusement avec le bord de son tablier. Mais je n'ai pas le choix. Je dois rembourser les dettes de mon père.

— Je vois.

Le silence s'installe entre les deux jeunes gens qui, appuyés à une barque, regardent passer au-dessus du fleuve un vol d'oies criardes.

— L'hiver est déjà à nos portes ! continue le garçon.

D'un geste vif, il lance le trognon de sa pomme dans l'eau qui vient lécher la berge.

Marie en profite pour l'examiner un peu. Elle découvre le nez aquilin, la barbe naissante qui accentue la proéminence du menton, les lèvres charnues et roses, le front plat et les sourcils froncés. Mais ses yeux couleur de ciel attirent le plus son regard.

— Et les Anglais aussi ! termine-t-il, en tournant vers elle un visage où l'insouciance a laissé la place à l'anxiété.

— C'est donc vrai ce que l'on raconte ? Les Anglais ont l'idée de conquérir Québec ?

Antoine se redresse et fixe le visage de sa jeune amie rougi par le vent du large.

— Qui sait !

Il se penche, s'empare d'une roche plate et la lance de toutes ses forces sur l'eau.

La pierre, après avoir fait plusieurs ricochets, sombre.

— Mais trêve d'idées noires et de mauvais présages ! Je n'ai pas de temps à perdre à craindre l'envahisseur. Dès la première neige tombée, je partirai vers le nord, vers le pays d'en haut et je traquerai un gibier beaucoup plus payant que ces fichus Anglais !

— Tu es donc un coureur des bois! s'exclame Marie, stupéfaite par cette révélation.

— Si fait! réplique son compagnon, tout fier. Mais il ne faut le répéter à personne! Sinon, je serais vite mis au carcan et marqué au fer rouge comme un vulgaire délinquant!

— Tu n'as donc pas le droit de...

— Pardi! Depuis l'interdiction d'aller courir les bois, nous, pauvres habitants, sommes à la merci des commerçants qui se sont arrogé le monopole des ressources de ce pays! Je ne suis pas sot! J'ai vite compris que si je voulais m'enrichir, je devais contrevenir à certains règlements. Les fourrures! Voilà la fortune!

— Mais... continue Marie, la loi n'oblige-t-elle pas tous les garçons âgés de seize ans de prendre épouse afin de peupler la colonie le plus vite possible? Ou encore, ne doivent-ils pas faire partie de la milice qui...

Antoine pose une main sur la bouche de Marie, lui intimant de se taire.

— Comme toi, je suis l'enfant d'une famille nombreuse. Depuis que je suis en âge de travailler, je besogne du matin au soir, trimant et suant à des tâches beaucoup trop dures pour mes bras. J'ai vu la moitié de mes frères et sœurs mourir de faim ou de froid alors que la disette et le typhus ont fait des ravages chez les plus pauvres de ce pays. J'ai troqué mes habits d'enfant contre les hardes de pêcheur car je ne voulais pas m'enfermer dans l'arrière-boutique d'un marchand fortuné qui ne m'aurait donné à manger que les restes de sa table.

Il s'arrête un instant, passe une main nerveuse dans ses cheveux et pousse un profond soupir de lassitude.

— J'ai quinze ans et huit mois. Certains jours pourtant, il me semble que mon corps a mille ans...

Avant de continuer, il promène un regard triste sur les vaguelettes qui viennent mourir sur le rivage.

— J'ai vu mon père et ma mère vieillir prématurément. J'ai vu mes sœurs aînées quitter le foyer familial pour travailler à un salaire de famine comme servante ou gouvernante chez les riches commerçants...

Il lève les yeux vers l'Est où peut-être se profilent déjà les silhouettes fantomatiques des navires anglais.

— Maintenant que la guerre semble imminente, je préfère troquer mes vêtements de pêcheur contre ceux de coureur des bois. Sinon, c'est un uniforme de soldat que je devrais porter. Et ça ! J'en serai toujours incapable !

Marie, que les paroles d'Antoine plongent dans le plus profond désarroi, ne parle pas. Elle sait que ce que dit le jeune homme est plein de bon sens. Elle sait aussi que si elle était un garçon, elle déciderait de sa vie de la même manière. Hélas ! Elle est une fille ! Et les filles doivent obéissance et soumission selon les lois de la religion et des hommes.

À son tour, Marie laisse errer son regard sur les flots devenus soudain rageurs et que le vent du nord soulève en une houle écumeuse.

Jamais encore le danger d'une guerre ne lui a paru aussi imminent. Jamais elle n'a senti la présence de la peur aussi proche, aussi collée aux corps et aux cœurs.

Jusqu'ici, dans la petite chaumière qui l'avait vue naître, les jours avaient succédé aux nuits, liant au labeur quotidien les joies et les peines. Mais depuis la mort de son père, tout avait basculé dans un univers de remises en question, de doutes.

— Est-ce que je peux te tutoyer? interroge soudain Antoine en se tournant vers elle.

De la tête, Marie acquiesce en silence.

— Marie, murmure-t-il alors en s'approchant de la jeune fille, je te confie mon secret. Garde-le précieusement au fond de ton cœur : tu es la seule à le connaître.

Dans un élan spontané, il effleure du revers de la main la joue de celle à qui il ouvre son cœur. Marie ferme les yeux sous la caresse quand soudain, venu tout droit du large, un vent rageur balaie ce moment de félicité.

— Les Anglais! crie alors une voix sur la gauche. Les Anglais sont là!

Les deux jeunes gens se retournent sur-le-champ et aperçoivent, fendant les flots entre les deux rives, un navire au mât duquel flotte un drapeau aux couleurs de l'Angleterre.

7

LA PUNITION

— Dorénavant, je veux qu'il soit clair que tu n'as pas le droit de perdre ton temps ! Tu es ici pour travailler ! Pas pour traîner dans les rues au bras du premier venu ! Me suis-je bien fait comprendre, Marie ?

— Oui, madame.

— Bien ! Pour ta punition, tu resteras à la maison ! Désormais, ce sera Yvette qui se chargera d'aller au marché.

Marie, qu'une peine immense submerge à la seule pensée de ne plus revoir Antoine, serre les lèvres, étouffant la réplique acerbe qu'elle destinait à sa patronne.

Comme elle voudrait crier à l'injustice ! Laisser enfin libre cours à la colère qui lui serre le cœur ! Mais elle le sait, cela ne servirait qu'à augmenter celle de dame Chevalier. Cette dernière, que la nouvelle de l'apparition des navires anglais a mise dans tous ses états, ne parvient pas à retrouver son calme.

— D'autant plus que j'ai appris que tu n'avais pas ramené la moitié des denrées dont nous avons besoin pour le dîner! Non mais... explose-t-elle en levant les bras au ciel, qu'as-tu donc dans ta petite cervelle?

Marie, rouge de honte de se faire ainsi tancer, baisse la tête et contemple le bout de ses chaussures que le sable de la grève a salies.

— Et regarde tes chaussures, continue dame Chevalier qui a suivi le regard de sa servante. Va les nettoyer immédiatement!

Marie obéit et déguerpit aussi vite que ses jambes le lui permettent. Elle n'en peut plus! Elle a besoin de quitter cette pièce! Disparaître! Mais surtout se retrouver seule. Enfin seule...

Dans l'escalier qui la conduit à sa chambre, elle essaie tant bien que mal de maîtriser la peine et la colère qui l'étouffent. Quand finalement elle se retrouve sous les combles, elle se jette sur son lit, enfouit son visage dans la couverture de laine et laisse éclater son chagrin.

Marie pleure fort et longtemps, sa peine immense la terrasse tout entière. Depuis son départ de la maison paternelle, elle n'a jamais encore ressenti de douleur aussi cuisante, de chagrin aussi profond. À la seule pensée de ne pouvoir revoir Antoine, l'étincelle de bonheur qui a momentanément éclairé son âme s'est évanouie.

— Mon ami... murmure-t-elle dans le silence de sa chambre.

Au loin, roulant son écho sonore, un roulement de tambour, qu'accompagne le son plus clair d'une trompette, troue le silence de cette soirée d'automne.

Marie se lève d'un seul bond et ouvre la lucarne afin de voir d'où vient ce tintamarre. En bas, des murmures étouffés, des jurons et des cris lui confirment la présence d'une foule rassemblée.

Elle aperçoit alors des hommes et des femmes, revêtus de capes aux couleurs sombres se massant sur le bord de la grève de l'Anse-aux-Barques. Tous fixent un point vers l'est où le navire des Anglais a jeté l'ancre.

Remplie d'espoir, Marie cherche à travers l'obscurité grandissante la silhouette de son ami. Elle scrute les abords des barques renversées sur la grève, puis son regard se tourne vers le chantier maritime où les coups de marteaux se sont tus depuis l'arrivée du navire ennemi. Elle se hisse sur la pointe des pieds et se penche un peu plus, examinant chaque recoin de la cour.

Rien! Antoine n'est pas venu. Elle pousse un soupir et s'apprête à refermer la lucarne quand, venant du navire anglais, un éclair suivi d'une traînée de feu troue les ténèbres.

Tous les gens rassemblés sur la grève ont sursauté en même temps.

— Dieu du ciel! s'écrie une femme en rabattant sur sa tête un large capuchon.

— Mais ils bombardent Québec! s'exclame un gros homme qui se tient en équilibre sur la coque d'une barque renversée.

— Que le ciel nous protège! implore la femme en se signant à plusieurs reprises.

Marie, pareille à une vigie juchée en haut de la hune, voit une seconde fois jaillir un trait lumineux du ventre du navire. Hébétée, elle scrute le vaisseau qui n'est plus maintenant qu'une ombre et dont le pont est parsemé ici et là de taches claires que projette la lumière des flambeaux.

Le bruit d'une cavalcade se fait entendre et Marie tourne la tête pour voir surgir trois chevaux cravachés par leurs cavaliers.

— Allons, bonnes gens! ordonne l'un d'eux. Rentrez chez vous! L'heure n'est pas au spectacle! Allons! Circulez!

Des murmures s'élèvent alors en crescendo dans la nuit maintenant tombée.

— Circulez! Circulez! tonne le chef de la troupe de miliciens.

Dociles, les colons quittent la berge avant de se disperser dans les rues de la basse-ville.

Marie, toujours à sa lucarne, regarde le dernier cavalier disparaître derrière le mur de la maison voisine, quand un bruit sur la gauche retient son attention.

— Psst...

Elle se hisse à nouveau sur la pointe des pieds et se penche dangereusement.

— Marie? C'est moi! Antoine...

— Mais où es-tu ? Je ne te vois pas !

Quittant l'ombre protectrice de la galerie de la maison, le garçon débouche sur la grève qu'un rayon de lune éclaire faiblement.

— Que fais-tu là ? interroge la jeune fille.

— Je suis venu te dire au revoir !

À ces mots, le cœur de la jeune servante se serre de chagrin.

— Tu pars donc ce soir...

— Je n'ai plus le choix ! L'ennemi est à nos portes !

— Où iras-tu ?

— Je pars avec deux de mes amis rejoindre un campement indien. Ensuite, nous marcherons vers le nord.

— ...

— Marie, continue le garçon en jetant des coups d'œil inquiets aux alentours, je reviendrai au printemps si la guerre n'a pas lieu. Sinon... je ne sais pas... Mais si je suis venu ici, ce soir, c'est pour emporter avec moi le souvenir de ton sourire.

À ces mots tendres, Marie ne peut s'empêcher d'éclater en sanglots. Comment la vie peut-elle à ce point être cruelle ? Comment ne pas pleurer, alors que tant de malheurs et de peines s'acharnent contre elle? Comment espérer, alors que tous les rêves qu'elle ose échafauder s'évanouissent les uns après les autres?

— Marie...

Où trouver la force de sourire alors que son seul ami la quitte aussi prématurément?

— Marie, je t'en prie, supplie encore Antoine. Juste un sourire...

Rassemblant tout son courage, la jeune fille essuie les larmes qui roulent sur ses joues avant de lui offrir son plus beau sourire.

— Merci! murmure le garçon en fixant sur elle son regard clair. Je ne t'oublierai pas...

Sans plus un mot, il quitte les abords de la maison et disparaît dans la nuit.

Marie porte alors deux doigts à sa joue, là où, ce matin même, Antoine avait caressé sa peau.

— Moi non plus, murmure-t-elle, je ne t'oublierai pas...

8

LE MESSAGER DE LA PEUR

Trois semaines et demie se sont écoulées depuis le départ d'Antoine. Accroupie près de l'âtre de la cuisine adjacente à la chambre des maîtres, Marie souffle sur les braises qui rougeoient de plus belle. Dans la pièce à côté, dame Chevalier joue au trictrac en compagnie d'un gentilhomme richement vêtu.

L'amiral du vaisseau anglais, après avoir été reçu par le gouverneur, avait quitté Québec le lendemain. Cependant, dans la ville, le spectre de l'envahisseur continuait à rôder et la peur de voir à nouveau flotter la bannière britannique pesait sur les cœurs.

Les jours s'étaient succédé et, grâce au travail, Marie avait réussi à contenir la peine que le départ d'Antoine avait entraînée. C'est aussi le travail qui l'avait aidée à panser la blessure qu'elle avait ressentie en apprenant le décès de son petit frère, Nicolas.

Sous un crépuscule de fin novembre, alors qu'une première neige recouvrait les trottoirs de bois qui longeaient les habitations, son oncle Amédée était venu lui annoncer la triste nouvelle.

« Surtout ne t'inquiète pas ! Ta famille va bien, avait-il affirmé. Clara et Flora ont été prises en charge par les Ursulines. Julie travaille à l'Hôtel-Dieu. Mais ce n'est que pour un temps. Nanette, elle, demeure auprès de ta mère, qui a beaucoup de besogne. »

Marie avait été soulagée d'apprendre aussi que presque la moitié de la dette envers le marchand Chevalier était remboursée et qu'il ne lui restait plus que quelques semaines, un mois tout au plus, de son généreux sacrifice.

L'orpheline, heureuse d'avoir enfin quelqu'un sur qui épancher sa peine, avait raconté à Amédée sa condition de servante. Elle lui avait fait part de sa fatigue de plus en plus présente chaque matin. Du froid qui s'insinuait par les murs de sa chambre et qui la gardait éveillée tard dans la nuit. De ses craintes face à l'envahisseur qui était revenu, à deux reprises, jeter l'ancre devant le Cap-Diamant et qui avait même, paraît-il, tenté d'avancer jusqu'à l'Anse-aux-Foulons.

Elle lui avait aussi raconté sa mésaventure avec monsieur Boulay. Amédée avait bien ri et avec un clin d'œil complice avait ajouté : «Ce n'est pas tous les jours que l'on peut se vanter d'avoir baptisé un marchand avec le contenu du pot de chambre !»

Marie lui avait parlé de sa rencontre avec Antoine, taisant toutefois volontairement le fait que ce dernier violait la loi...

«J'ai été appelé à rejoindre la milice...» avait annoncé Amédée avant de la quitter.

— Oncle Amédée ! Non !

— Tss ! Tss ! lui avait-il intimé, en posant deux doigts sur sa bouche. Nous n'avons pas le choix ! Les Anglais voient d'un très mauvais œil la construction des fortifications en amont, non loin des Grands Lacs. Ils ont peur que nous devenions trop puissants ! Surtout si la traite des fourrures qu'ils font avec les Iroquois en est touchée !

Il avait souri avant de continuer :

— Ne t'en fais pas, Marie ! Je serai devant cette porte le jour de Noël, comme je te l'ai promis. Et nous irons fêter, tous ensemble, la fin de cette année de misère !

— Vous gagnez ! Comme toujours ! s'exclame dame Chevalier en lançant les dés sur le jeu ouvert. Ce n'est pas juste ! Vous êtes beaucoup plus fort que moi à ce jeu !

— Voyons, voyons, dame Chevalier ! s'amuse l'intendant Bigot. C'est une simple question de chance !

— La chance, dites-vous ! rétorque la maîtresse de maison en replaçant le châle de laine qui a glissé de ses épaules. Je crois bien qu'elle m'a quittée depuis belle lurette !

Elle repousse la chaise d'un geste brusque, se lève et se dirige vers l'âtre devant lequel elle étend ses mains couleur de nacre.

— Depuis l'annonce que Jean-Baptiste demeure bloqué à La Rochelle et qu'il ne pourra point revenir à Québec avant le printemps, je ne sais plus à quel saint me vouer ! J'en perds l'appétit et le sommeil rien que de penser que mon mari ne sera point des nôtres pour fêter la Noël et le Jour de l'An !

— Mais consolez-vous, ma chère amie, vous avez vos enfants et vos amis ! ajoute l'intendant en replaçant, une à une, les pièces sur la table de jeu.

— Bien sûr... soupire dame Chevalier, qui vient reprendre place devant son invité. Mais ce n'est jamais comme avoir son époux à ses côtés. Personne auprès de qui vraiment s'épancher. Avoir, encore et toujours, la responsabilité des livres, des denrées et de toute la maisonnée...

Elle replace une seconde fois le châle sur ses épaules avant de continuer :

— Et ces Anglais qui, paraît-il, reviennent toujours mouiller devant Port-Royal !

Elle ouvre un petit tiroir situé juste au-dessous de la table et en sort un jeu de cartes.

— Que diriez-vous d'une partie de quadrille ou de pharaon ?

— Hélas, madame ! Bien qu'il me soit infiniment plaisant d'être avec vous, je dois prendre congé ! déclare François Bigot en se levant. Le devoir m'appelle !

— Voilà donc que vous me quittez, mon ami ! déclare dame Chevalier, une moue boudeuse déformant sa lèvre inférieure. Il y a vraiment trop à faire dans cette ville !

— Comme vous le dites, madame ! rétorque l'intendant en poussant un profond soupir de lassitude. Mais surtout pas assez de gardes pour faire respecter la loi ! Les gens du peuple ne respectent pas les mesures d'hygiène minimales et nous nous retrouvons avec des rues remplies de toutes sortes d'immondices ! Les porcs, les chiens et même les chevaux se nourrissent à même les détritus jetés dans les rues ! Voilà maintenant qu'avec les pluies et les neiges, celles-ci sont devenues de véritables bourbiers !

Dame Chevalier, que le ton du discours surprend au plus haut point, se redresse et fronce les sourcils :

— Mais pourquoi cette situation, assez coutumière il me semble, vous met-elle aujourd'hui dans un tel embarras ?

François Bigot, après avoir replacé sa cravate de soie d'un geste nerveux, fixe sur son hôtesse un regard incrédule.

— Après le feu et l'Anglais, madame, la maladie nous guette tous ! N'oublions pas l'épidémie de variole qui a frappé au cours de l'hiver 1703 ! Et, plus près de nous, l'épidémie de typhus qui, en 1750, a emporté près de la moitié de la population !

À ces souvenirs, l'intendant pose une main moite sur le parement de son manteau.

— Pendant ces jours de terreur, continue-t-il en regardant le feu qui danse dans l'âtre, nous avons enregistré jusqu'à huit décès journaliers. Que Dieu nous préserve de tout cela !

Au ton, rempli de crainte de la part d'un des dirigeants de la Nouvelle-France, dame Chevalier laisse choir les cartes qu'elle tient à la main. Celles-ci s'éparpillent sur la petite table basse, dessinant une forme imprécise où les rouges et les noirs se marient.

— Mais, dit-elle enfin, nos médecins ne peuvent-ils rien pour contrer tous ces fléaux ?

— Trop de charlatans utilisent à tort purges, saignées, lavements, emplâtres et antimoine ! Sans compter les remèdes à base d'yeux d'écrevisses, de poudre de vipère et de sang de dragon ! Hélas, madame ! Notre médecine est bien pauvre et nous devons pallier son ignorance par une prévention plus sévère !

Jeanne qui, assise sur un tabouret, épluche des navets et des oignons qu'elle ajoutera au chou et à la pièce de lard qui mijotent déjà dans un chaudron, relève la tête.

— Doux Jésus... murmure-t-elle en se signant.

Son regard, voilé de craintes inavouées, rencontre celui de Marie, accroupie près de l'âtre, le bout du tison qu'elle tient à la main toujours fiché dans les braises rougeoyantes.

Marie a soudain très peur. L'image de centaines de cadavres s'impose à elle, tandis qu'un malaise indéfinissable vient se loger au creux de sa poitrine.

Noël n'est plus qu'à quelques semaines et Marie n'en finit plus d'attendre.

— Mon Dieu, faites que je retourne chez moi au plus tôt... murmure-t-elle en baissant la tête.

Depuis le début novembre, au labeur quotidien était venu se greffer le surplus de travail propre aux moissons. Elle avait dû aider Jeanne à préparer confitures, salaisons, marinades et charcuteries, sans compter les pâtés de gibiers, que dame Chevalier l'avait envoyée acheter au marché. Mais voilà que le mois de décembre et les fêtes avaient également apporté leur lot de travail supplémentaire. Il y avait les tourtières, les échaudés ainsi que les tartes à cuisiner. En plus de la lessive, du raccommodage et du ménage, Marie avait eu la lourde tâche d'astiquer l'argenterie. Et Dieu sait qu'il y en avait, chez les Chevalier !

Mais, malgré le dur labeur, Marie espérait toujours.

La jeune orpheline se relève lentement et, pour se soustraire à ces idées noires, tourne la tête vers le fleuve.

Sur les berges, les gabares renversées, recouvertes de neige, attendent que le printemps veuille bien les ramener sur les flots. Les galets, recouverts d'une mince couche de glace, miroitent sous les rayons du soleil timide.

«Plus que quelques jours...» songe-t-elle, l'espoir au cœur.

«Au revoir, monsieur Bigot!» annonce la voix de dame Chevalier dans la pièce d'à côté.

Marie, soucieuse de ne point se faire gronder par sa patronne, délaisse le superbe tableau que lui offre le fleuve et se remet à sa besogne.

— Marie? claironne dame Chevalier.

— Oui, madame, répond la jeune servante en passant la tête dans l'encadrement de la porte.

— Nous reste-t-il assez de poisson pour le repas?

— Il ne reste que de l'anguille, madame.

— Dieu du ciel! Je ne suis plus capable d'en ingurgiter une seule bouchée! Ces jours de «maigre et jeûne» que nous impose l'évêque durant le temps de l'avent, nous laissent le ventre creux et le dégoût à la bouche.

Dame Chevalier porte alors son mouchoir de dentelle à ses lèvres avant de continuer :

— Je veux que tu ailles au marché, dit-elle en s'approchant de la table à abattants où le couvert n'est pas encore dressé. Essaie de trouver une autre sorte de poisson à nous mettre sous la dent !

— Mais c'est jeudi aujourd'hui ! Ce n'est pas jour de marché ! rétorque Marie en essuyant d'un mouvement nerveux ses mains sur la toile de son tablier.

— Alors, tu iras directement à la demeure du poissonnier !

Marie ne répond pas tout de suite, surprise par une telle requête de la part de sa patronne.

— C'est que je n'ai pas fini de préparer le potage, madame. Peut-être qu'Yvette pourrait...

— Yvette a déjà beaucoup à faire avec la petite Émilie qui a de la fièvre. Sans compter Samuel qui a toujours des crampes au ventre.

— Peut-être Jacot, alors ?

— Écoute, ma fille, coupe dame Chevalier sur un ton sans réplique, tu es la seule qui soit en mesure de se rendre chez le poissonnier !

— Bien, madame ! laisse tomber Marie.

La jeune fille, délaissant la cuisine et sa chaleur réconfortante, se dirige aussitôt vers l'escalier.

— Tu passeras aussi chez le ferblantier ! ajoute dame Chevalier en reprenant place à la table de jeux. J'y ai fait porter un chaleuil défectueux. Il doit certainement être réparé.

Sans un mot, Marie descend les marches qui la conduisent au rez-de-chaussée et, après avoir traversé la boutique, se dirige vers la porte d'entrée qui donne sur la rue du Cul-de-Sac.

Au passage, sa main happe le mantelet à capuchon qu'elle pose machinalement sur ses épaules. Après avoir noué le cordonnet autour de son cou, elle tire le capuchon sur sa tête et sort de la maison.

9

L'ESCAPADE

Dehors, une bise glaciale souffle au visage de Marie et le froid s'insinue sous sa cape.

— Grand Dieu qu'il fait froid ! se plaint-elle en croisant les bras sous son mantelet de laine.

La jeune servante garde les yeux baissés sur le trottoir qu'une fine couche de glace a recouvert. « L'intendant n'a pas tort ! » songe-t-elle, en contournant un petit tas de fumier encore chaud.

À cette heure du jour, les passants se font de plus en plus rares et les quelques marchands dont les échoppes sont encore ouvertes, s'apprêtent à fermer.

Après avoir gravi à pas rapides la ruelle qui la conduit sur la place Royale, Marie observe un moment les environs.

Sur le perron de l'église Notre-Dame-des-Victoires, plus de traces du condamné. L'échelle, le gibet, sont toujours là et le carcan est vide. La place Royale semble baigner dans une espèce de torpeur qu'ensevelit une neige cristalline.

Marie lève la tête vers le clocher de l'église, savourant pleinement ce court moment de sérénité.

Elle se souvient alors de ses premières neiges. Celle qui l'enchantait lorsque, encore enfant, elle y jouait avec ses frères et sœurs ; celle qui alourdissait les branches des grands sapins à l'aube de la fête de Noël ; celle qui avait bercé ses rêves les plus fous. Mais celle aussi, traîtresse qui, en mars dernier, avait recouvert le cercueil de son père et à jamais posé un voile d'amertume sur son âme.

Neiges des joies... Neiges des peines...

Le souvenir de son deuil encore présent la ramène à la dure réalité de sa vie de servitude.

— Comme il me tarde de rentrer chez moi... soupire-t-elle à l'adresse de la statue de la Vierge, au-dessus de l'entrée de l'église.

Puis Marie se dirige vers la maison du poissonnier, qui n'est plus qu'à quelques pas. Elle serre étroitement les pans de sa cape autour de son corps amaigri. Elle sait que le travail qu'elle accomplit depuis près de trois mois est beaucoup trop dur pour elle. De plus, l'autre nuit, elle a taché de sang le drap de son lit.

« Bientôt je pourrai prendre mari... » avait-elle murmuré dans le silence de sa chambre, le visage souriant d'Antoine berçant sa solitude.

Elle avait tant espéré le revoir ! Tant attendu son retour...

Hélas ! Les neiges avaient envahi les pays d'en haut bien avant de tomber sur la ville, fournissant sans doute à Antoine des fourrures à profusion, mais elles l'avaient éloigné d'elle, jusqu'au retour du printemps...

Les yeux grands ouverts, dans l'obscurité des combles, Marie avait vu danser des silhouettes sur le plafond bas. Images de bonheur où elle s'imaginait au bras d'Antoine à qui elle jurait amour et fidélité jusqu'à ce que la mort les sépare.

La jeune fille est maintenant devant la porte du poissonnier. Après avoir replacé le capuchon sur sa tête, elle frappe.

— C'est fermé! claironne une voix aigrelette.

— C'est Marie, rétorque la jeune fille, la servante de dame Chevalier! Je viens acheter du poisson!

La porte s'ouvre dans un bruit de gonds rouillés.

— Mais... c'est que je n'ai plus de poisson! déclare le marchand en roulant des yeux ronds. Il ne me reste que quelques anguilles chétives!

— Oh que non! Dame Chevalier ne peut plus en avaler!

— C'est bien dommage! C'est tout ce que je peux lui vendre! annonce simplement le marchand en voulant refermer la porte.

— Attendez! s'exclame la jeune fille après un court moment d'hésitation. Je vais les prendre! Après tout! Il faut bien manger...

Marie demeure sur le pas de la porte, tandis que le marchand se dirige vers une table basse où sont enroulées des anguilles noires.

— Voilà pour ta patronne ! dit-il en plaçant lui-même les poissons dans le panier de la servante.

— Merci !

Sans plus un mot, Marie fait volte-face et repart en direction de la maison Chevalier. Elle sait bien que sa patronne va la gronder. Mais elle sait aussi que les enfants ont faim, que les serviteurs ont faim. Qu'elle a faim...

La jeune fille lève la tête vers les murs de la falaise qui s'étirent jusqu'au ciel. Tout là-haut, paraît-il, vivent les gens de la haute-ville.

Amédée lui a souvent vanté les beautés somptueuses des maisons où le gouverneur, son intendant et tous les généraux, capitaines de milice et invités se rassemblent pour jouer aux cartes, danser, rire, s'amuser et festoyer, comme s'ils étaient à la cour de France.

Un désir aussi soudain qu'irrésistible de se rendre là-haut la submerge. Plus fort que le devoir, que la crainte de se faire gronder. Plus fort que la servitude...

Marie entreprend alors la rude ascension qui la conduira au sommet de la falaise.

« Il faut que je voie ça de mes yeux ! s'encourage-t-elle en soulevant le bas de sa robe qui traîne dans la boue. Au moins une fois... »

10

LA HAUTE-VILLE

Essoufflée et en sueur, Marie se dresse sur le promontoire qui surplombe le fleuve, encore prisonnier des glaces.

La jeune orpheline ferme les yeux un instant et respire profondément afin de calmer les battements affolés de son cœur. Lorsqu'elle les rouvre, un spectacle grandiose s'offre à elle. Sur sa gauche, en de longues arabesques mauves et orangées, s'enflamment des nuages sous les rayons du soleil couchant.

— Comme c'est beau, vu d'en haut !

Elle se tourne à demi pour apercevoir, baignant elles aussi dans la lumière du crépuscule, les maisons des notables de la ville.

— Oncle Amédée avait dit vrai...

Son regard embrasse toute la richesse de ces gens que le destin a placés au-dessus des autres.

Par les fenêtres vitrées filtre déjà la lumière des candélabres et des lampes à huile. Marie imagine les belles dames, richement vêtues, occupées à leurs ouvrages de broderie tandis que les hommes discutent politique, affaires ou guerre avec des invités. Elle imagine encore les cuisiniers et les serviteurs qui s'affairent, dans les cuisines, à préparer un repas dont les viandes, les gibiers et les desserts ne dépareraient pas la table d'un roi. Elle entend les violons, les vielles, les dulcimers ou encore les flûtes qui s'égaient sous les mains habiles des musiciens.

Derrière le voile de larmes qui embue soudain ses yeux, Marie invente une chimère. Elle s'imagine parmi ces gens-là, vivant librement, sans dur labeur ni misère. Une vie faite de rires et de bons moments... Mais la vision enchanteresse disparaît au moment même où des larmes roulent sur ses joues.

Marie baisse la tête et fixe le bas de sa robe. Un lourd chagrin voûte ses épaules. « Jamais je ne pourrai être de ceux-là... » souffle-t-elle dans l'air glacé.

Elle se tourne alors vers la basse-ville où les toitures éclatantes de neige scintillent sous le crépuscule. «Mais peut-être qu'avec un peu de chance, j'aurai une petite maison que mon mari aura bâtie de ses mains et que nos enfants heureux égaieront de leurs rires et de leurs chants.»

Ses pensées volent, cette fois, vers ses sœurs, prisonnières derrière les murs du couvent des Ursulines et de l'Hôtel-Dieu.

Elle se tourne à nouveau vers la haute-ville et se hisse sur la pointe des pieds, cherchant dans la nuit qui s'approche, les pointes des clochers du couvent.

Elle les aperçoit au loin.

Une envie folle de se rendre aux portes du couvent la fouette soudain, tandis qu'une petite voix, surgissant de sa conscience engourdie, la ramène à la raison : «*C'est beaucoup trop loin et il se fait tard...*»

Les silhouettes des clochers disparaissent derrière un rideau de larmes impuissantes.

— Au revoir mes sœurs... souffle-t-elle dans le silence du soir, puis elle tourne volontairement le dos aux maisons de la haute-ville.

Rompue de chagrin, Marie laisse couler sa peine. Et ses pensées volent aussi vers Antoine. Elle l'imagine traquant un gibier terré au plus profond de la forêt. Raquettes aux pieds, il parcourt des kilomètres dans la neige immaculée. Complètement libre! Libre...

Au loin, l'angélus égrène ses notes claires dans le soir.

Sans plus un regard sur les mirages qui l'entourent, Marie entreprend la descente vers la basse-ville. À l'ouest, le ciel s'est couvert de nuages sombres et le soleil se meurt dans un dernier sursaut de lumière.

11

LA DETTE

— J'avais pourtant bien spécifié que je voulais du poisson. Morue verte ou sèche ! Perchaude ou truite ! Qu'importe ! Mais pas d'anguille ! Surtout, pas d'anguille !

— Le poissonnier n'avait rien d'autre, madame...

— Tais-toi, petite cervelle ! Tu me mets dans un tel embarras que je ne sais plus si je dois te garder ou te renvoyer chez toi !

Ces paroles, bien qu'elles se veuillent offensantes, redonnent espoir à Marie qui baisse la tête afin de cacher le sourire qui flotte sur ses lèvres.

Se pourrait-il que son calvaire prenne fin plus rapidement ? Y aurait-il, dans la punition qu'espère lui infliger sa patronne, une part de salut ?

— Et puis, où est mon chaleuil ? As-tu au moins pensé faire un détour chez le ferblantier ?

— Euh... j'ai oublié, madame...

Exaspérée, dame Chevalier lève les deux bras au ciel.

— Ma pauvre Marie ! Ton insouciance et ta paresse devaient donner bien du souci à ta mère lorsque tu étais sous son toit !

À l'évocation de sa mère, Marie ne peut s'empêcher de répliquer sur un ton acerbe :

— Je suis certaine que ma mère aurait préféré me garder auprès d'elle ! J'y aurais assurément été plus utile qu'ici !

Le ton de sa voix, qui indique toute la rancœur refoulée, fait se redresser sa maîtresse et sursauter Jeanne qui vient d'entrer dans la pièce.

— Petite ingrate ! siffle alors dame Chevalier en ramenant les coins de son châle sur sa poitrine. Si j'avais su que tu te montrerais aussi impolie, j'aurais demandé à ton oncle de venir te chercher au plus vite !

Elle marche vers l'âtre où rougeoient des braises incandescentes.

— Mais, à cause des conditions qui nous imposent ta présence jusqu'à l'Épiphanie, je pardonne ta mauvaise volonté et surtout tes propos désobligeants.

À l'annonce qu'elle n'aura pas son congé avant le six du mois de janvier, Marie fronce les sourcils.

— Mais... je devais quitter pour la Noël !

La maîtresse de céans se retourne vivement et affronte le regard farouche de sa servante :

— La dette de ton père n'est pas encore complètement remboursée ! Il reste environ cinq livres, soit l'équivalent d'une semaine et demie de salaire. De plus...

Marie ferme les yeux tandis que la voix module de ses accents tantôt doux, tantôt rauques, l'immense chagrin qui l'étouffe.

Serait-il possible qu'Amédée ait menti ? Savait-il que la dette ne serait pas remboursée avant la fête des Rois ? En proie au plus horrible des doutes, certaine qu'elle est l'objet d'un affreux complot, Marie ouvre les yeux et fixe un regard plein de haine sur sa patronne, qui s'est installée dans un fauteuil.

Jamais encore la jeune fille n'a haï quelqu'un ainsi. Un sentiment de révolte l'étouffe. Marie ferme si fort ses poings que les jointures en pâlissent. Elle pince les lèvres afin que le grondement sourd qui roule dans sa gorge ne franchisse la barrière de ses mâchoires closes.

« *Pas maintenant... Pas encore...* » lui souffle une petite voix surgissant du plus profond de sa haine. Le désir de vengeance est si puissant qu'il semble embraser ses prunelles qui fixent toujours sa patronne.

À sa droite, dans une encoignure, un mouvement furtif attire alors son attention. Elle y aperçoit une souris grise, semblable à celle que Gaspard le chat a mangée quelques semaines après son arrivée.

La vue même du petit animal met un peu de baume sur son cœur et Marie desserre les poings et les mâchoires. Malgré l'injustice qui la poursuit depuis le décès de son père, elle espère que de meilleurs jours sauront effacer tous ces mauvais souvenirs, et à ses yeux l'apparition de cette petite souris en est le signe.

— Est-ce que tu m'as bien comprise ? l'interroge dame Chevalier, qui a haussé les sourcils et aussi le ton.

— Oui, madame, répond Marie, qui n'a plus qu'une seule envie : terminer cette discussion qui ne mène nulle part.

— Alors, tu comprendras qu'une journée de plus ou de moins, ça ne fait pas une si terrible différence !

— Oui, madame, répète Marie en tournant les talons et en quittant précipitamment la pièce.

Marie a juste passé la porte qu'une main se pose sur son avant-bras. C'est Jeanne :

— Il ne faut pas t'en faire outre mesure, lui chuchote-t-elle. Dame Chevalier n'est pas une mauvaise personne et elle n'a pas l'habitude de réprimander ses serviteurs de cette façon. Mais, depuis qu'elle est seule à gérer le commerce et la maison, elle est débordée. Il faut la comprendre !

Marie hoche tristement la tête en signe d'assentiment.

— Tu savais que les Anglais ont tenté de s'emparer d'une fortification, près du lac Érié ?

Marie, que la nouvelle surprend, regarde Jeanne d'un air incrédule.

— La colonie est menacée, Marie! continue la servante. Et maître Chevalier qui n'est pas là! Il faut comprendre...

— Je comprends, répond enfin Marie sur un ton qu'elle veut des plus conciliants. Je comprends!

Et le cœur gros, Marie gravit le petit escalier de bois en direction de son refuge sous les combles.

12

L'ACCIDENT

La tempête de la nuit a laissé sur
Québec des monticules de neige qui,
amassés sur les trottoirs ou suspendus
en lames aux toits des maisons et des
appentis, métamorphosent les rues de la
basse-ville.

Obligée de retourner sur la place du
Marché afin de rapporter la lampe
qu'elle devait prendre la veille chez le
ferblantier, Marie déambule dans les
rues.

C'est jour de marché, mais plusieurs
marchands n'ont pas monté leurs
échoppes. Des yeux, Marie fait le tour
de la place, cherchant la maison du
ferblantier. Les écriteaux sont recouverts
d'une neige si épaisse qu'il lui est difficile de reconnaître l'enseigne. La jeune
orpheline avance tant bien que mal dans

la neige qui lui monte jusqu'à mi-jambes quand un bruit de cavalcade, suivi de jurons, la fait se retourner brusquement.

Débouchant d'une rue encombrée de neige, une charrette tirée par un cheval en furie fonce tout droit vers elle.

Marie, les yeux écarquillés par la peur, demeure figée sur place, tandis que le conducteur lui crie à tue-tête :

— ÔTE-TOI DE LÀ !

Marie tourne la tête dans tous les sens, cherchant une issue.

Un premier réflexe lui fait relever le bas de sa robe, pour pouvoir courir dans la neige. Puis, dans un élan, elle s'engouffre dans une rue étroite où le trottoir qui longe les habitations brille d'une glace traîtresse. Marie glisse et, après avoir tenté de s'agripper à quelque chose, tombe sur le postérieur. Elle jette un coup d'œil par-dessus son épaule afin de vérifier si le cheval a continué son chemin.

Hélas ! Ce dernier, après avoir piaffé et rué, bifurque sur la droite, empruntant la ruelle où Marie se croyait pourtant hors de danger. Derrière l'animal, entraînée dans sa course folle, la charrette, beaucoup trop large, heurte de ses flancs les murs en pierres des maisons basses.

— Dieu du ciel ! s'écrie Marie en se relevant aussi vite qu'elle le peut.

Prenant ses jambes à son cou, elle court à perdre haleine, s'enfonçant parfois même jusqu'aux genoux dans la neige fraîchement tombée. Dans son affolement, la jeune fille ne remarque pas un caisson de bois qui obstrue la rue devant elle.

— Ah !

Marie s'affale de tout son long sur le sol au moment même où une ombre se dresse entre elle et l'animal en furie.

— Holà ! Holà ! Tout doux ! crie l'inconnu en levant les bras bien haut.

— Tout doux... Tout doux ! répète-t-il sur un ton plus doucereux, croyant enfin voir s'apaiser l'animal.

Le cheval, après s'être arrêté quelques secondes, fixe le nouveau venu de son œil rouge avant de reculer un peu.

Le souffle, qui sort des naseaux de la bête que le diable semble avoir ensorcelée, monte dans l'air glacé. Il forme un brouillard laiteux qui enveloppe sa crinière où pendillent des petits glaçons.

Marie se redresse sur un coude, s'apprête à se relever quand le cheval se met à ruer de plus belle et se dresse sur ses pattes arrière dans un hennissement démentiel. Près de sa gueule, juste au-dessous du mors, une bave blanche coule sur sa robe noire.

Marie est à peine debout que déjà l'animal se précipite, entraînant derrière lui le conducteur et sa charrette qui, après avoir heurté les murs de plusieurs demeures, vole en éclats.

— Attention! crie le conducteur avant d'être projeté sur le sol.

Une poigne ferme s'abat sur les épaules de Marie, qui est projetée à son tour contre le mur tout proche. Son front heurte violemment la pierre tandis qu'une douleur cuisante lui arrache un cri. Afin de se protéger du cheval qui est maintenant presque à sa hauteur, elle lève les bras et cache son visage en gémissant.

Deux mains happent ses poignets dénudés et Marie est soulevée de terre avant de se retrouver coincée entre une porte et le corps de l'inconnu.

Prise d'un vertige, Marie ferme les yeux. Elle baigne dans un néant où se confondent les battements accélérés de son cœur et le claquement des sabots du cheval fou. Les deux mains chaudes qui la soutiennent l'empêchent de tomber sur la chaussée et de sombrer dans le néant grisâtre aux portes duquel vacille sa conscience.

— Ça va, Marie ?

Cette voix qui prononce ainsi son prénom semble sortir du plus merveilleux des songes.

— Réponds-moi ! Marie !

La jeune fille n'a pas la force d'ouvrir les yeux. La douleur à son front est telle qu'il lui semble qu'une masse de plomb s'y est logée.

— Marie ! Parle-moi ! répète Antoine en la faisant pivoter sur ses talons et en la soutenant avec peine.

Malgré la douleur et l'immense fatigue qui la terrassent, Marie entrouvre les yeux. Un faible sourire se dessine alors sur ses lèvres tandis qu'un goût de sang emplit sa bouche.

— Grand Dieu ! s'exclame Antoine, les yeux écarquillés d'effroi à la vue du visage ensanglanté de la jeune fille.

Tout près du couple, une fenêtre s'ouvre et la tête d'une mégère s'encadre par l'ouverture.

— Qu'est-ce qu'il se passe, ici ?

— C'est Marie ! Elle est blessée ! s'empresse de répondre Antoine, qui a de la difficulté à soutenir la jeune fille.

— Je viens !

La femme referme la fenêtre en vitesse et Antoine a juste le temps de soulever Marie dans ses bras avant qu'elle perde connaissance.

La porte s'ouvre enfin.

— Viens ! Vite ! lui intime la grosse femme en faisant de grands gestes avec ses bras. Entre là ! Je vais faire quérir l'apothicaire !

Chargé de son précieux fardeau, Antoine s'engouffre dans la maison de la bonne Samaritaine où crépite dans l'âtre un immense feu.

13

AU BORD DU GOUFFRE

Un bruit de vaisselle la surprend dans ses songes et Marie bouge doucement la tête.

— Je crois qu'elle reprend conscience, murmure la voix de Jeanne tout près.

— Merci, Seigneur! lui répond dame Chevalier.

— Enfin! s'exclame une voix d'homme.

Marie est incapable d'ouvrir les yeux, tant la douleur qui traverse son crâne est vive. Elle veut porter la main à son front, mais son bras droit ne bouge pas.

Que lui arrive-t-il donc? Quelle est cette lourdeur dans ses membres? Quel est ce brouillard laiteux qui, dans son cerveau, enveloppe tout?

— Marie? Marie, est-ce que tu m'entends? l'implore une voix inconnue. Je suis le docteur Deblois.

Avec peine, Marie cherche à retrouver le fil de sa conscience. Elle se souvient du cheval en furie. De la peur. De la voix d'Antoine et de la chaleur de ses mains autour de ses poignets. Et puis son front qui heurte la pierre froide. Le goût de sang dans sa bouche. Le son de la voix de celui qu'elle espérait revoir par-dessus tout. Puis... le néant.

— Mon enfant... chuchote une autre voix à son oreille droite, je suis le père Jacrau. Je vais prier pour le salut de ton âme.

Le froid d'un crucifix que l'on glisse à sa bouche lui fait comprendre d'un seul coup la gravité de sa situation. Une peur immense la terrasse tout entière, tandis que la voix du prêtre, dans ses prières, continue de la harceler.

Le médecin... Le prêtre... Et Amédée ? Et Antoine ?...

Marie se débat en ayant soudain conscience que la mort et la vie se disputent son âme. Elle voudrait crier ! Ouvrir la bouche et cracher cette angoisse sans nom qui lui déchire le cœur ! Hélas, ses lèvres demeurent closes et sa plainte meurt au fond de sa gorge !

Une larme se fraie alors un chemin sous la ligne de ses cils et s'y accroche un instant.

— Elle pleure... murmure la voix de Jeanne. La pauvre petite...

— Vous ne pouvez donc rien faire, docteur ? interroge dame Chevalier, dont le ton de la voix montre à quel point elle est troublée.

— Madame, soupire le médecin, votre servante souffre de paralysie partielle. Je ne peux en dire plus ! Le choc qu'elle a reçu à la tête a probablement affecté une partie du cerveau.

Un silence, suivi de toussotements, plane un instant sur le groupe réuni autour de la petite orpheline.

— Mais il doit bien y avoir un remède !

— Le temps, dame Chevalier... Seul le temps peut faire des miracles.

— Et la prière, réplique le curé Jacrau, en lançant un regard outré au médecin qui replace ses instruments dans son sac de cuir.

Jeanne, assise près de Marie, pose une nouvelle compresse sur le front blessé de la jeune fille.

— Elle doit se reposer, dit-elle sur un ton qu'elle veut des plus réconfortants.

— Tu as raison, Jeanne, rétorque dame Chevalier en se levant. Laissons-la dormir. Peut-être que demain...

Elle emboîte le pas au médecin et au prêtre avant de s'arrêter sur le seuil de la porte.

— Tu restes avec elle, Jeanne ?

— Oui, madame, répond celle-ci. Je vais prendre grand soin d'elle.

— Très bien, ma fille. Que Dieu vous aide...

Sans plus un mot, dame Chevalier quitte la petite chambre de Marie, suivie du médecin et du curé.

Seule au chevet de Marie, Jeanne laisse éclater sa peine. Elle pleure en silence le souvenir de son enfant défunt qui, deux ans auparavant, avait succombé, des suites d'une trop longue maladie.

«Que ne donnerais-je pour posséder toutes les sciences du monde ! songe-t-elle. Je saurais ainsi guérir les enfants ou, du moins, tenter de soulager leurs douleurs avant que la mort ne vienne les cueillir. »

Après avoir essuyé du revers de la main les larmes qui roulent sur ses joues, Jeanne enlève le linge souillé du front de Marie. Elle le rince dans un plat rempli d'eau fraîche, le tord avant de le secouer un peu. Puis, doucement, elle le replace sur le front de l'orpheline.

— Petite Marie... murmure-t-elle à son oreille. Sois sans crainte! Je suis là pour toi...

Dans un ultime effort, Marie remue deux doigts de sa main gauche posée à plat sur la couverture.

— Merci, mon Dieu! s'exclame Jeanne, à qui le mouvement furtif n'a pas échappé. Oh! Merci!

D'un geste spontané, la jeune femme s'empare de la petite main à nouveau inerte et la porte à ses lèvres tandis que, dans un souffle, une mélodie franchit ses lèvres :

Dors, dors, petite Marie.
Dors, ma tendre amie.
L'hirondelle et la colombe ont fait leurs nids
Sous les combles de ta vie
Dors, dors, petite Marie.
Dors, mon ange...
Dors, ma mie.

14

LE CADEAU

Couchée dans son lit, Marie regarde par la lucarne les flocons de neige qui virevoltent dans un rayon de soleil. C'est Noël. D'un geste lent, elle porte deux doigts à ses lèvres asséchées par la fièvre.

Depuis qu'elle est revenue à elle et surtout qu'elle a retrouvé l'usage de ses membres, la jeune fille passe de la nuit au jour sans que la douleur cesse. Jeanne est restée à ses côtés et Marie lui en est très reconnaissante. Mais, depuis deux jours, la servante a dû délaisser sa jeune amie afin de rejoindre Yvette et les autres serviteurs, que la fête de Noël et ses préparatifs accaparent.

Dame Chevalier est venue lui rendre visite à plusieurs occasions. Elle n'a pas parlé, laissant plutôt son regard errer dans la chambrette en égrenant son chapelet, pendant qu'elle la veille. Elle a demandé à Jacot de percer un orifice dans le plancher, juste sous le lit de Marie, afin que la chaleur des feux brûlant dans les âtres du rez-de-chaussée se rende jusque sous les combles. Elle a aussi fait porter une chemisette neuve dont Jeanne a revêtu la jeune infortunée.

Marie a été touchée par toutes ces attentions et l'animosité qu'elle manifestait envers sa patronne a maintenant totalement disparu.

— Tu as de la visite, annonce la voix de Jeanne qui vient d'apparaître sur le seuil de la chambre.

Lentement, Marie tourne la tête vers la porte où s'encadre la silhouette de son oncle Amédée, aux côtés de Jeanne qui s'efface aussitôt.

— Ma petite Marie! clame celui-ci en s'approchant de la couchette.

La jeune orpheline, dans un effort surhumain, lui dédie son plus beau sourire.

— Que je suis content de te revoir enfin! continue Amédée qui prend place sur l'unique chaise. Je reviens à peine des Grands Lacs.

Il se penche au-dessus de sa nièce et examine attentivement le visage blême levé vers lui.

— Pauvre petite ! J'ai su pour l'accident ! Quel malheur...

D'un geste paternel, il s'empare de la main de Marie et dépose un baiser au creux de la paume. Un silence plane alors dans le réduit où le temps semble s'être arrêté.

— Je te demande pardon, déclare alors Amédée, un sanglot dans la voix. Les raids imprévus des Anglais ne m'ont pas laissé la chance de revenir avant aujourd'hui. Je...

L'oncle essuie d'un geste lent deux larmes qui s'accrochent au coin de ses yeux, avant de continuer :

— Pardon, Marie. Je n'ai pas tenu ma promesse... souffle-t-il en baissant la tête.

Lentement, Marie étire les doigts et caresse le front d'Amédée qui se penche vers elle. L'homme pleure amèrement ; ses épaules courbées épousent le rythme de ses sanglots qu'il est incapable de réprimer. Il maudit intérieurement les

Anglais qui, assiégeant les forts français aux abords des Grands Lacs, l'ont empêché de revenir à Québec.

— Tant de temps perdu à chasser un ennemi qui reculait sans cesse avant de réapparaître à nouveau aux moments les plus inattendus! dit-il tout bas. Tous ces jours à songer à la promesse que je t'avais faite un matin d'automne et que je me savais incapable de tenir! Tant de temps...

Amédée relève la tête. Ses yeux rencontrent le regard rempli de larmes de sa nièce.

— Je vais te ramener chez toi, dit Amédée en noyant sa peine dans les prunelles de la jeune fille. Aujourd'hui même!

Sans plus un mot, Amédée se lève et quitte aussitôt le chevet de Marie.

La petite servante ferme les yeux. Dans sa poitrine, un poids immense vient de disparaître tandis qu'un frisson la parcourt. Un sourire flotte sur ses lèvres. Elle va revoir les siens! Enfin...

Un bruit de pas, glissant sur le parquet derrière elle, met fin à sa rêverie alors que, comme jaillissant des mains d'un magicien, une merveilleuse fourrure de renard s'étale sur le dessus de la couverture qui recouvre sa poitrine.

Marie a juste le temps de cligner des yeux avant de voir surgir le visage d'Antoine qui se penche vers elle.

— Joyeux Noël, mademoiselle Marie! claironne-t-il, tout heureux.

Marie roule des yeux ronds tandis qu'Antoine, content de l'effet de sa surprise, s'assied à son tour sur la petite chaise à ses côtés.

— Je sais que tu repars bientôt! dit-il joyeux. J'ai rencontré ton oncle dans l'escalier.

Antoine se penche, non sans avoir auparavant jeté un regard par-dessus son épaule.

— Il m'a demandé de te raccompagner chez toi. Il a même poussé l'audace jusqu'à m'inviter à fêter Noël avec toi et ta famille! Qu'en dis-tu?

Marie éprouve une telle joie que même la peur, même la douleur disparaissent d'un seul coup. Le cœur léger, la jeune orpheline tend la main vers celui qui l'a sauvée de la mort. Celui-ci s'empresse d'y glisser la sienne.

— Si je suis revenu, Marie, annonce-t-il d'une voix douce, c'est parce que je pense continuellement à toi et que...

Il s'approche un peu plus de la jeune fille avant de continuer :

— ... que je ne veux plus courir les bois... C'est si loin de toi ! Ni faire la guerre, sinon pour te protéger. Je veux demeurer ici. Près de toi...

Des larmes de bonheur roulent sur les joues de la jeune fille et sa main serre celle de son ami.

— Tu guériras, j'en suis certain ! continue-t-il en emprisonnant les doigts si frêles entre les siens. Je vais prendre soin de toi ! Tu verras ! Avant le retour du printemps, tu seras à nouveau sur pied !

Heureuse, Marie sourit à son ami avant de tourner la tête vers le firmament qui tapisse les vitres jaunies de la lucarne.

« C'est le plus beau cadeau de Noël », songe-t-elle. Et son regard se perd dans l'infini de l'azur.

ÉPILOGUE

Marie Houymel meurt des suites d'une embolie cérébrale au printemps de l'an de grâce 1754, alors qu'une flotte de navires anglais mouillent au large de Québec.

C'est le début de la Conquête...

Table des matières

Les titres de la collection Atout

* Lecture facile   ** Lecture intermédiaire